可爱宝贝之哈哈！这就是我

我爱睡觉

〔英〕克莱尔·费德曼/著　〔英〕凯瑞·泰威尔/绘　李海颖/译

长江出版传媒　湖北美术出版社

时间不早啦，上床睡觉啦。
宝宝不想睡觉，
玩玩游戏多好！

月亮姐姐困了，

蝴蝶妹妹和小兔乖乖也困了。

它们要说晚安啦……

宝宝要说晚安吗？

宝宝快来抱抱我，
给我温暖的怀抱……
睡觉以前抱一抱！

卡车困了，汽车困了，
天上的星星也困了。
它们要说晚安啦……

宝宝要说晚安吗？

宝宝躺下来，你在打哈欠吗？

火车乌乌困了，飞机亮亮困了……

它们都困了。

猫头鹰都开始"咕咕"叫啦！

乖乖小宝贝，你困不困啊？

宝宝闭上小眼睛，
安静睡觉觉。

大猫小猫都困了，它们说晚安了。

母牛"哞哞"叫，

乖乖小宝贝，你困不困啊？

你要不要上床睡觉？

宝宝累了钻被窝，

上床好好睡一觉……

小狗点点说晚安啦，

困困的小鱼儿也说晚安啦。

乖乖小宝贝，你要说晚安吗？

宝宝想做啥？

天上星星眨眼睛，夜空闪闪放光明。
宝宝钻进小被窝，温暖舒服好睡觉。
睡个好觉！

· 可爱宝贝之嘻嘻！猜猜我在哪儿 ·

《可爱宝贝之嘻嘻！猜猜我在哪儿》围绕孩子最爱的"捉迷藏游戏"进行绘制，

四本书中分别巧妙设计了情节和拉页，

在日常生活场景中展示如何与孩子"捉迷藏"，

对亲子互动的过程有着良好的示范作用。

★ 全书体现"捉迷藏"的概念，有趣的书页设置让家长

　　和小孩子甜蜜互动，让孩子能够亲自"动手"阅读。

★ 趣味情节设置，特别突出了亲情主题。

翻翻书

嘿嘿！

他为啥跳起来，
好干那样飞上天，
天上的好多东西可以看！

我好爱……

抱抱我

我爱你

晚安啦

怕痒痒

可爱宝贝之哈哈！这就是我

《可爱宝贝之哈哈！这就是我》从孩子生活的四个小细节出发，
生动描绘了孩子对于自身、家人、物品和行为习惯的认识过程，
是一套符合幼儿习性，并由此建立美好情感的快乐丛书。

★ 由幼儿自身习性入手，帮助他们认识自我，
　 培养良好情绪。

★ 以"爱"和"关怀"为主题的亲子互动系列，
　 简单的故事带来浓浓的温馨体验。

温馨提示：适合0-3岁幼儿

Early Years
我·心喜阅·低幼启蒙

图书在版编目(CIP)数据

我爱睡觉 / 〔英〕费德曼著;〔英〕泰威尔绘;李海颖译. —武汉:湖北美术出版社, 2012.8
(可爱宝贝之哈哈!这就是我)
ISBN 978-7-5394-5562-4

Ⅰ. ①我… Ⅱ. ①费… ②泰… ③李… Ⅲ. ①学前教育-教学参考资料 Ⅳ. ①G613

中国版本图书馆CIP数据核字(2012)第206320号

我爱睡觉

[英] 克莱尔·费德曼 / 著   [英] 凯瑞·泰威尔 / 绘   李海颖 / 译
责任编辑 / 吴海峰   王子蔚   谢慧卿
装帧设计 / 陈经华
美术编辑 / 陈经华
出版发行 / 湖北美术出版社
经销 / 全国新华书店
印刷 / 深圳市星嘉艺纸艺有限公司
开本 / 787mm×1092mm   1/24   4印张
版次 / 2012年10月第1版   2012年10月第1次印刷
书号 / ISBN 978-7-5394-5562-4
定价 / 32.00元(全四册)

Night night，baby！

本书中文简体字版权经Parragon Publishing (China) Limited授予心喜阅信息咨询(深圳)有限公司,由湖北美术出版社独家出版发行。
版权所有,侵权必究。